지은이 레미 쿠르종
학교 다닐 때 선생님의 모습을 재미있게 그려 친구들에게 인기가 많았습니다. 대학에서 미술을 공부하고 오랫동안 광고 분야에서 일했습니다. 여행을 다니면서 그림을 그리기도 하고, 어린이를 위한 책도 많이 썼습니다. 최근에는 세 아이, 초콜릿 무스 그릇, 토끼 고기 요리, 배영, 자전거, 스쿠터, 낮잠, 블로그, 모바일 기기에 관심이 많아졌습니다. 요즘은 초상화를 열심히 그리고 있답니다. 한국에 나온 책으로는 『말라깽이 챔피언』, 『수다쟁이 물고기』, 『레오틴의 긴 머리』, 『3일 더 사는 선물』, 『진짜 투명인간』 등이 있습니다.

옮긴이 권지현
고등학교를 졸업할 무렵부터 번역가의 꿈을 키웠습니다. 그래서 서울과 파리에서 번역을 전문으로 가르치는 학교에 다녔습니다. 학교를 졸업한 뒤에는 번역을 하면서, 번역가가 되고 싶은 학생들을 가르치고 있습니다. 귀여운 조카들을 생각하며 외국 어린이 책을 소개하고 우리말로 옮기는 데 큰 즐거움을 느낀답니다. 그동안 옮긴 책으로는 『거짓말』, 『아나톨의 작은 냄비』, 『어느 날 길에서 작은 선을 주웠어요』, 『별이 빛나는 크리스마스』, 『수다쟁이 물고기』, 『말라깽이 챔피언』 등이 있습니다.

하프

초판 발행 2017년 11월 7일
초판 인쇄 2017년 11월 7일

지은이 레미 쿠르종 **옮긴이** 권지현
펴낸이 남영하 **편집** 장미연 **디자인** 박규리 **마케팅** 주영상
종이 세종페이퍼 **인쇄** 미광원색사 **제본** 신안문화사

펴낸곳 ㈜씨드북 **등록** 제2012-000402호
주소 03997 서울시 마포구 월드컵로16길 52-23
전화 02) 739-1666 **팩스** 0303) 0947-4884
홈페이지 www.seedbook.kr **전자우편** seedbook009@naver.com
인스타그램 instagram.com/seedbook_publisher
페이스북 facebook.com/seedbook.kr **카카오스토리** story.kakao.com/seedbook

LA HARPE
by Rémi COURGEON
Copyright ⓒ FLAMMARION, Paris, 2010
Korean Translation Copyright ⓒ Seedbook Publishing Co. Ltd., 2017
All rights reserved.
This Korean edtion was published by arrangement with FLAMMARION S.A., Paris
through Bestun Korea Agency Co., Seoul.

이 책의 한국어판 저작권은 베스툰 코리아 에이전시를 통해 저작권사와 독점 계약한 ㈜씨드북에 있습니다.
저작권법에 의하여 한국 내에서 보호를 받는 저작물이므로 무단 전재와 무단 복제를 금합니다.

ISBN 979-11-6051-139-0 77860
세 트 979-11-6051-140-6 77860

  제품명: 하프 | **제조자명**: ㈜씨드북
주소: 서울시 마포구 월드컵로16길 52-23 | **전화번호**: 02-739-1666
제조국명: 대한민국 | **제조년월**: 2017년 11월 | **사용연령**: 6세 이상

KC마크는 이 제품이 공통안전기준에 적합하였음을 의미합니다.
△주의: 종이에 베이지 않게 주의하세요.

책값은 뒤표지에 있습니다. 잘못 만들어진 책은 구입하신 서점에서 바꾸어 드립니다.

이 도서의 국립중앙도서관 출판예정도서목록(CIP)은 서지정보유통지원시스템 홈페이지(http://seoji.nl.go.kr)와
국가자료공동목록시스템(http://www.nl.go.kr/kolisnet)에서 이용하실 수 있습니다.
(CIP제어번호: CIP2017025491)

 Cet ouvrage a bénéficié du soutien des Programmes d'aide à la publication de l'Institut français.
이 책은 프랑스문화진흥국의 출판 번역 지원 프로그램의 도움을 받아 출간되었습니다.

하프

레미 쿠르종 지음　권지현 옮김

씨드북

루이즈는 엄마 아빠와 함께 작은 아파트에 살았어요.
그런데 엄마 배가 축구공만큼 불러 오자
도시 반대편에 있는 넓은 집으로 이사를 갔어요.

새집.
새 동네.
새 학교.
그리고 몇 주 뒤면 남동생이 생겨요.
많은 게 변하자 루이즈는 새 얼굴을 갖고 싶었어요.
얼굴이 못생겨서가 아니라
지독히도 평범해서요.

루이즈는
눈부시게 아름답고 싶었어요.
근사하고 매력적이고 싶었어요.
〈베네치아의 가을〉에 나온 파올라 리가치처럼요!
루이즈는 이 영화를 수도 없이 봤어요.

안토니오 레온
파올라 라가치

베네치아의 가을

같은 반 여자아이들도 루이즈처럼 평범했어요.
물론 알리스는 시험에서 늘 만점을 받아요.
레아는 친구들을 웃기는 재주가 있고요.
엘레오노르는 눈이 왕방울만 해요.
하지만 세 친구를 다 합쳐도
파올라의 발뒤꿈치도 따라가지 못할걸요.

O+O+O=O

다른 사람이 평범한 건 상관없지만
나만은 평범하지 않았으면 좋겠어요.

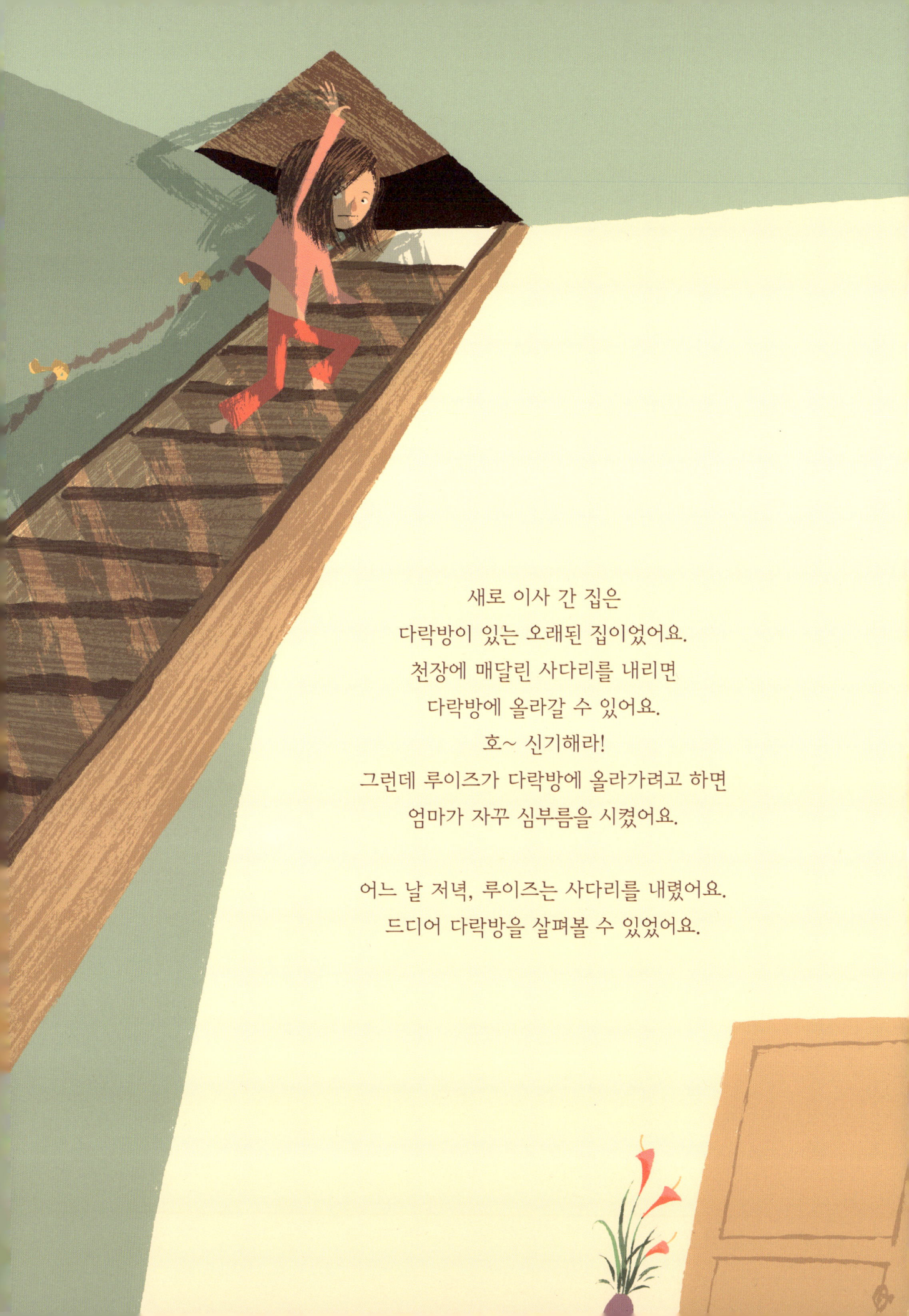

새로 이사 간 집은
다락방이 있는 오래된 집이었어요.
천장에 매달린 사다리를 내리면
다락방에 올라갈 수 있어요.
호~ 신기해라!
그런데 루이즈가 다락방에 올라가려고 하면
엄마가 자꾸 심부름을 시켰어요.

어느 날 저녁, 루이즈는 사다리를 내렸어요.
드디어 다락방을 살펴볼 수 있었어요.

다락방에는 흰 천으로 덮인 커다란 물건이 있었어요.
천을 벗기자 하프가 나타났어요.
루이즈가 줄을 튕기니까 아름다운 소리가 났어요.
하프를 연주하자
예쁘게 변한 루이즈의 모습이 거울에 비쳤어요!
앗! 하지만 엄마가 또 루이즈를 부르는군요.

이튿날 루이즈는 혹시 꿈을 꾸었나 싶어
다락방으로 다시 올라갔어요.
그건 꿈이 아니었어요.
하프를 연주할 때마다
거울에 비친 얼굴이 점점 예뻐지는 거예요.
연주를 멈추면 루이즈는 다시
평범한 모습으로 돌아왔어요.

루이즈의 엄마 아빠는
하프를 배우고 싶다는
딸의 말을 들어주었어요.
그리고 선생님을 모셔 왔어요.
판 후텐 선생님이랍니다.

한바탕 대청소를 끝내자
다락방은 하프 연습실이 되었어요.

루이즈는 수업을 받을 때
거울을 천으로 덮어 놓았어요.
혼자만의 비밀로 간직하고 싶었으니까요.

혼자 있을 때에만 하프를 연주하면서
거울을 들여다보았어요.
연주를 잘할수록 얼굴도 예뻐졌어요.

남동생이 태어나자 루이즈는
아기를 돌보느라 하프 연습을 할 수 없었어요.
판 후텐 선생님은 화를 냈어요.
"루이즈! 열심히 연습하지 않으려면 수업을 그만두자."

하프도 루이즈를 탓했어요.
연주를 해도 거울 속 루이즈의 모습은 그대로였으니까요.
루이즈는 다시 열심히 연습했어요.
그러자 예쁜 모습도 다시 돌아왔어요.

집에서도 학교에서도
루이즈는 음악에 흠뻑 취해 지냈어요.
그러던 어느 날, 판 후텐 선생님이
음악 학교에서 연주를 하라고 했어요.

루이즈는 연주하는 자신의 모습을 상상했어요.

엄마 아빠도 좋아했어요.
"드디어 네 연주를 들을 수 있겠구나!"

루이즈는 다락방 거울 앞에서
많은 시간을 보내며 어려운 곡들을 연습했어요.
시간이 지날수록 루이즈는 자신이 더 예뻐 보였어요.

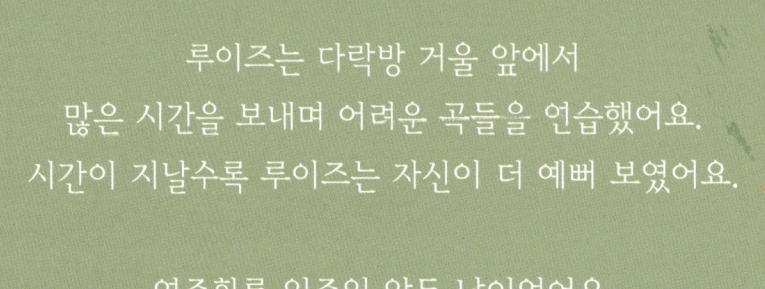

연주회를 일주일 앞둔 날이었어요.
판 후텐 선생님은 말했어요.
"루이즈, 준비가 거의 다 되었구나.
음악 학교의 하프는 아주 아름다운 소리를 낼 거야."

"선생님, 저는 제 하프로 연주하고 싶어요."

"무슨 수로 하프를 다락방에서 꺼내겠니?
톱질을 해서 반으로 자를까?"
판 후텐 선생님은 다락방의 조그만 문을 가리키며 물었어요.

루이즈는 어쩔 줄 몰랐어요.
관객 200명 앞에서 평범한 걸 들키면
세상에서 가장 부끄러운 일이 될 거예요.

두려움을 없앨 방법은
연습, 연습, 또 연습뿐이었어요.
손가락 끝이 벗겨질 정도로요.

드디어 연주회 날짜가 다가왔어요.
루이즈는 무섭게 생긴
하프 앞으로 다가갔어요.
새로 산 드레스도
두려운 마음을 진정시키지 못했어요.
커튼이 열리자 루이즈는 눈을 감고
모든 걸 잊은 채 연주를 시작했어요.

연주가 끝나고 눈을 뜨자
관객이 모두 일어서서 박수를 치고 있었어요.
엄마, 아빠, 남동생,
자랑스러워서 얼굴까지 발개진 판 후텐 선생님,
샘이 나서 부들부들 떠는 알리스, 레아, 엘레오노르까지
모두가요.

앗, 공연장 한구석에
커다란 꽃다발을 들고 서 있는
파올라 리가치도 보인 것 같아요.

…….

아닌가?